le théâtre de Lhinghli
THINTRI CHRISTIINI DUCHISNI
Tzibzone
mer de Fouah
le Skoopet

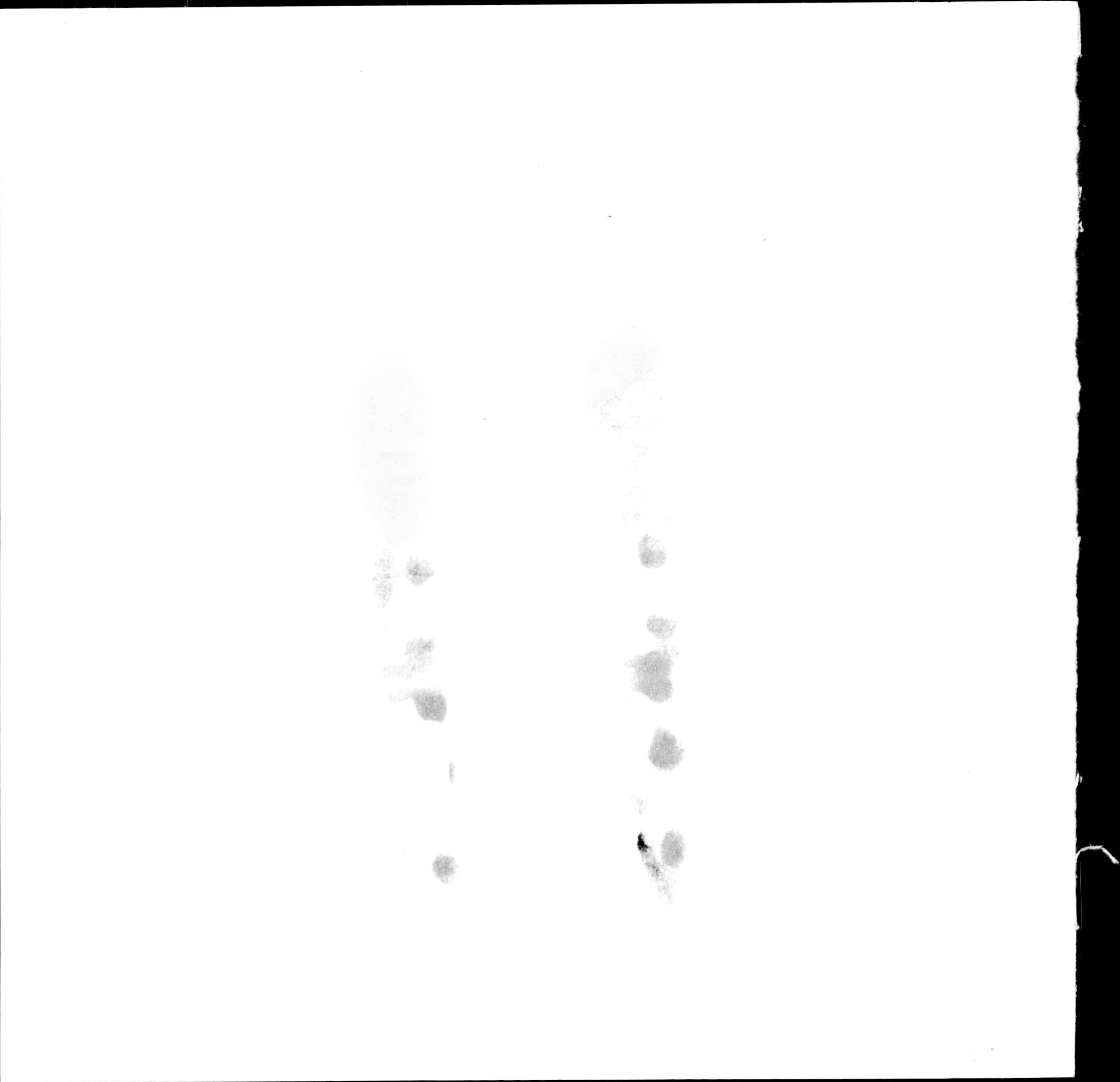

MÉMÈRE
et ses cinq monstres

Un texte de Christiane Duchesne
Illustré par François Thisdale

Hurtubise

Catalogage avant publication de Bibliothèque et Archives nationales du Québec et Bibliothèque et Archives Canada

Duchesne, Christiane, 1949-

Mémère et ses cinq monstres

Pour enfants de 5 ans et plus.

ISBN 978-2-89647-246-8

I. Titre.

PS8557.U265M45 2010 jC843'.54 C2010-940584-6
PS9557.U265M45 2010

Les Éditions Hurtubise bénéficient du soutien financier des institutions suivantes pour leurs activités d'édition :
- Conseil des Arts du Canada ;
- Gouvernement du Canada par l'entremise du Programme d'aide au développement de l'industrie de l'édition (PADIÉ) ;
- Société de développement des entreprises culturelles du Québec (SODEC) ;
- Gouvernement du Québec par l'entremise du programme de crédit d'impôt pour l'édition de livres.

Illustrations : François Thisdale
Illustrations des pages 40 et 41 : Aurélie Thisdale
Conception graphique et mise en page : Fig. communication graphique - www.figcommunication.com

ISBN 978-2-89647-246-8

Dépôt légal/4e trimestre 2010
Bibliothèque et Archives nationales du Québec
Bibliothèque et Archives du Canada

Diffusion-distribution au Canada :
Distribution HMH
1815, avenue De Lorimier
Montréal (Québec) H2K 3W6
Téléphone : 514 523-1523
Télécopieur : 514 523-9969
www.distributionhmh.com

Diffusion-distribution en Europe :
Librairie du Québec/DNM
30, rue Gay-Lussac
75005 Paris FRANCE
www.librairieduquebec.fr

Imprimé à Singapour
www.editionshurtubise.com

Pour mademoiselle Camille D.
C. D.

À ma chère P. qui m'a montré l'art des boulons.
F. T.

Épicerie Pigeon

10720, boulevard de l'Olympe
Montréal (Québec) H2C 2W5

2010 **MARS** 2010

	1	2	3	4	5	6
7	8	9	10	11	12	13
14	15	16	17	18	19	20
21	22	23	24	25	26	27
28	29	30	31			

No. 09

départ des monstres, ouf !

10 mars

Mes chers petits,

Si je vous écris aujourd'hui, c'est pour vous confier un grand, un immense, un gigantesque secret. Les vilains monstres qui hantent vos nuits et qui vous font faire d'affreux cauchemars, je les ai fait disparaître ! Oui, oui, je leur ai offert un voyage d'un an pour la destination de leur choix.

N'ayez plus peur de Nuche qui vous murmurait à l'oreille des histoires effrayantes pour vous faire hurler de terreur.

N'ayez plus peur de Plonchette qui gémissait tellement fort à l'intérieur des murs qu'on aurait dit une meute de loups affamés.

Ni du petit Milon qui venait vous mordre les orteils à minuit et qui y laissait des marques.

Ni de madame Gérande qui se moquait de vous et riait de son gros rire atroce.

Ni de Goulpi II, l'affreux, qui a tant de fois brisé vos jouets la nuit, en cachette, juste pour le plaisir.

Ils sont partis ! Ils reviendront dans un an, le jour de mes 50 ans, et j'espère que le voyage leur aura appris à faire autre chose que d'effrayer les petits enfants.

En échange du voyage (qui me coûte un peu cher, mais bon… !), ils sont obligés de me donner des nouvelles. C'est dans ce cahier que je vais vous raconter leurs aventures.

il boit
beaucoup
de café

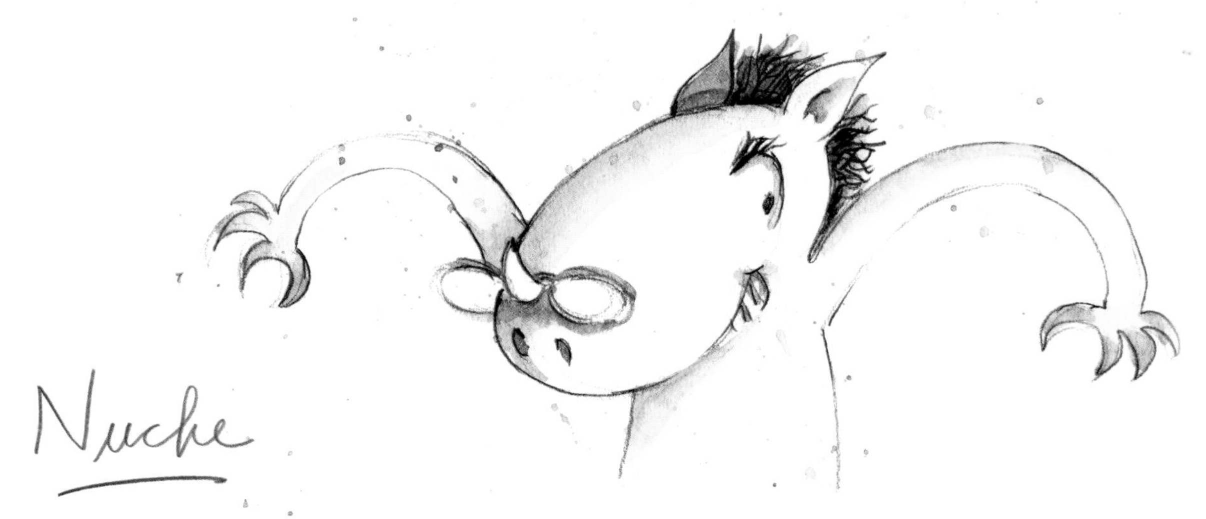

Ah, ce Nuche ! On le croirait gentil, à le voir, comme ça, ses petites lunettes sur le bout du nez. Mais comme monstre, on ne fait pas mieux. Il a le don de raconter des histoires qui, au début, ont l'air tout à fait passionnantes. Mais soudain, elles deviennent horribles, atroces, on tremble de peur et on ne peut plus dormir.

Vous rappelez-vous celle du perroquet ? Vous trouviez ça très drôle, jusqu'au moment où le perroquet, nommé Phil, s'est mis à arracher un à un les cheveux, les poils de barbe et les sourcils de son maître, et puis… Ah, je ne parle pas de la suite, nous aurions tous peur encore une fois !

Jamais je n'ai entendu Nuche raconter une histoire normale. On finit toujours, toujours, par être terrorisés.

Plonchette se ronge
toujours les griffes
Ses gémissements hantent le voisinage

Plonchette

Elle n’est pas méchante pour deux sous, notre chère Plonchette. Mais qu’est-ce qu’elle rend nos nuits impossibles ! Une fois qu’on a réussi à s’endormir malgré nos peurs provoquées par les histoires de Nuche, voilà que, de l’intérieur des murs, monte cette voix monstrueuse ! Des gémissements, des grincements de dents, des jérémiades et des lamentations, des grognements, des plaintes interminables, des sanglots, des hurlements qu’on jurerait être ceux d’un loup…

J’ai tout essayé, et vous aussi, les bouchons d’oreilles, les oreillers sur la tête, de la musique dans nos écouteurs, rien à faire ! La voix de Plonchette se faufile partout, agresse nos oreilles et nos cerveaux, et finit par détruire nos nuits.

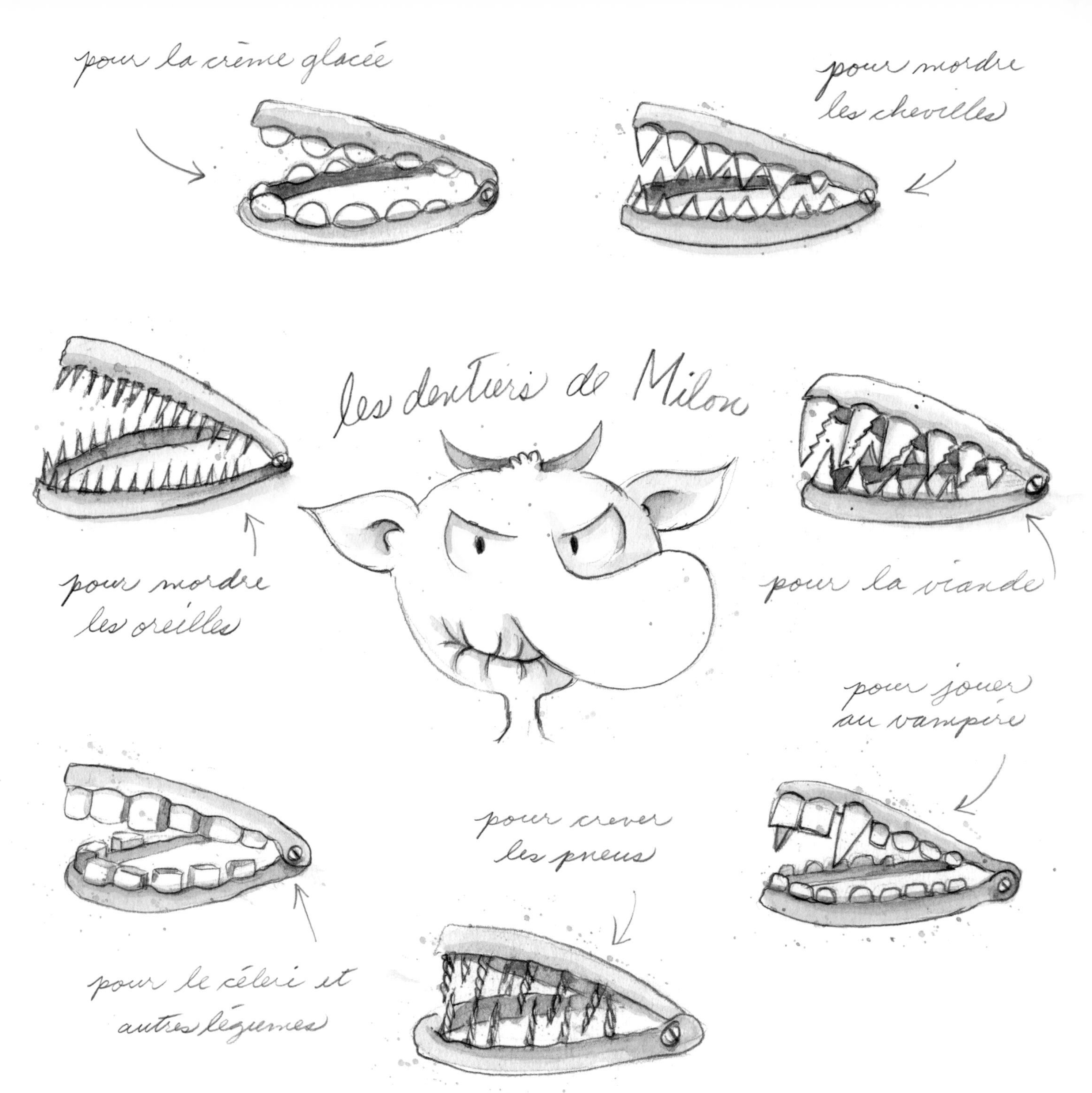
pour la crème glacée
pour mordre
les chevilles
les dentiers de Milon
pour mordre
les oreilles
pour la viande
pour jouer
au vampire
pour crever
les pneus
pour le céleri et
autres légumes

Milon

C'est le plus vilain et le plus petit de tous les monstres que j'ai connus. Il nous en a gâché, des nuits, lui aussi ! Avec ses petites fausses dents pointues et bien limées, combien de fois nous a-t-il transpercé les orteils à minuit tapant ! Peu de gens savent que ses dents sont fausses, mais c'est pourtant vrai. Je vous le jure : le petit Milon porte des dentiers !

De ses mini-morsures, mes orteils gardent de fines traces, des petits points de rien du tout, comme les vôtres d'ailleurs. Quand on me demande ce que sont ces minuscules cicatrices, j'explique que ce sont les piqûres d'un poisson de l'océan Pacifique, j'invente toute une histoire et on me laisse tranquille. Vous devriez faire la même chose…

Son rire atroce semble parfois sortir du radiateur

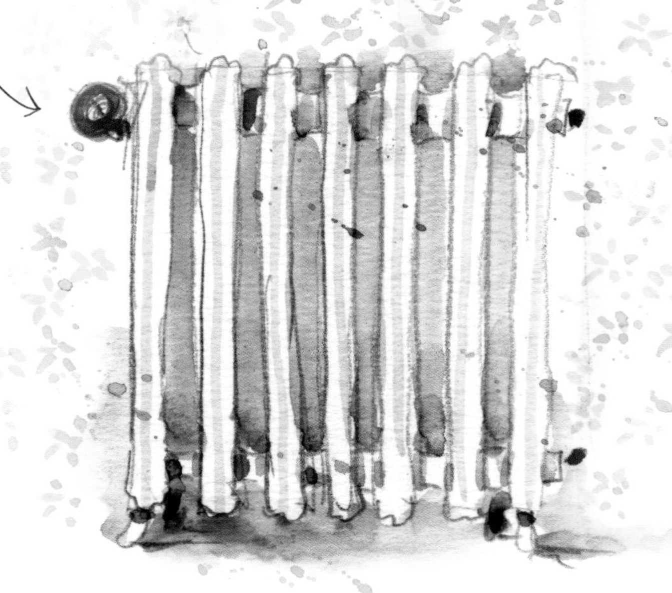

Mais comment grimpe-t-elle sur le toit de la maison ?

madame Gérande

Comme notre pauvre Plonchette, madame Gérande ne veut pas vraiment faire du mal, vous le savez bien. Elle ne sait pas vivre, c'est simple. Cette grosse bouboule de poils a tendance au fou rire, et je ne comprends pas pourquoi. « Un rien me fait rire ! » se plaît-elle à dire. Sauf que le fou rire la prend vers les deux heures du matin… Il est atroce, son gros rire, et il fait peur ! Le pire, c'est qu'on ne sait pas où elle est, si elle se cache dans la cave ou dans le grenier, si elle se promène sur le toit ou entre les parois des murs comme le fait Plonchette. Entre les lamentations de Plonchette et le monstrueux rire de madame Gérande, je serais bien en peine de choisir.

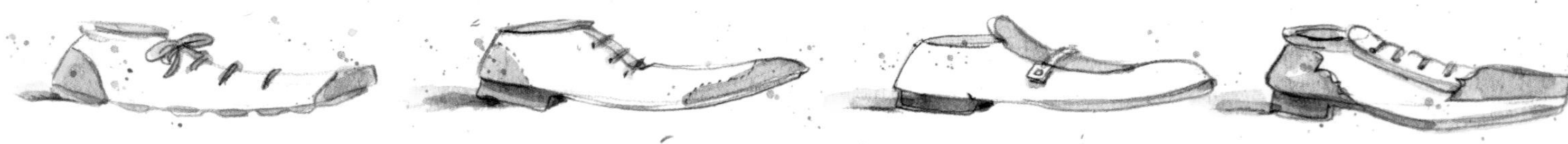

Il a toute une collection de chaussures, le Goulpi II !

Goulpi II

Pourquoi II ? Oui, pourquoi ce « deux » en chiffres romains ? Parce qu'il y a eu un premier Goulpi, sans doute, mais je ne l'ai pas connu. Était-il aussi malfaisant que Goulpi II ? J'espère bien que non, mais avec les monstres, on ne peut pas savoir. Pourquoi Goulpi II aime-t-il tant briser les jouets ? Je ne sais pas non plus. De nos cinq monstres, c'est celui que je comprends le moins. Il brise pour briser, il se moque de tout et de tout le monde. Si vous saviez combien de fois j'ai essayé de lui faire entendre raison ! Il ne m'écoute pas, pas plus que les autres. Le matin, quand je découvre une poupée sans tête, un camion sans roues ou un lapin éventré, un livre aux pages arrachées ou une petite voiture fracassée, je hurle de rage. Et je l'entends rire au loin, l'affreux Goulpi II !

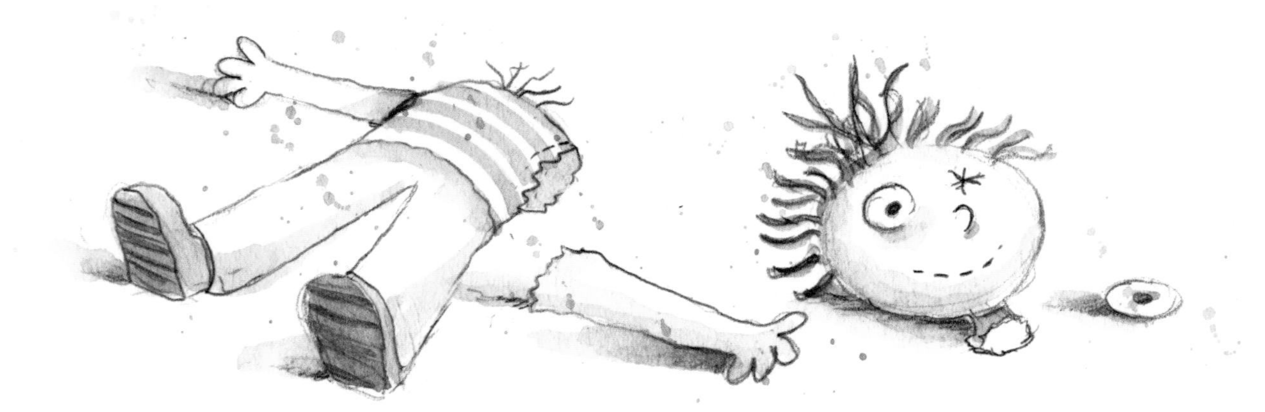

le phare de
Lhunghlé

Depuis quelques jours, je commençais à me demander si nos affreux monstres allaient enfin me donner des nouvelles. En ce joli matin d'avril, je guettais le passage du facteur avec grande impatience, et voilà qu'il m'apporte une enveloppe aux timbres étonnants… Une lettre de Nuche, postée à Lhinghli, au Sghilinghili. Je n'ai jamais entendu parler d'un tel pays, le facteur non plus.

Que nous raconte-t-il, Nuche, notre spécialiste des histoires effrayantes ? Il parle de sources rouges et d'arbres bleus géants, du soleil (vert) qui se couche sur la mer, il dit que c'est très, très beau. Il découvre la gastronomie du pays et s'offre de délicieux repas au restaurant. Et qu'est-ce qu'on mange, au Sghilinghili ? Du ghilishling au milimili (un peu comme du homard), du sghli frit (un petit poisson sans arêtes et tout mou qu'on déguste avec une sauce piquante, la sauce au ghil), et de gros biscuits gluants qu'on appelle des linghlinghs.

Pour l'instant, il ne parle pas de ses histoires effrayantes. Aurait-il oublié ? Il a commencé sa lettre par *Chère Mémère*… Bizarre, non ?

C’est sous une pluie très fine que je vois venir le facteur ce matin, et j’en suis fort heureuse : il n’est pas passé depuis deux jours. Une facture d’électricité, une autre de téléphone et… une lettre de Goulpi II. Il m’écrit du Ménépustan, d’une ville nommée Nanako. Ah, ce Goulpi II ! Il est terriblement fâché contre moi. Pourquoi donc ? Parce que je l’ai obligé à prendre l’avion et que, dans l’avion, il a eu très, très… PEUR ! Il m’écrit : *C’est moi qui dois faire peur, pas AVOIR PEUR ! Si ça me plaît, à moi, de faire peur aux enfants, la nuit, c’est mon affaire. C’est ça que je sais faire dans la vie, faire peur et rien d’autre !*

Tant mieux s'il a eu peur! J'adore ça! Sur un ton furieux, il m'accuse d'avoir tout décidé à sa place et il n'aime pas ça du tout. Bien fait pour lui, ce voyage lui servira peut-être de leçon? Je remarque une chose très étrange: quand j'ai voulu coller la lettre de Nuche et celle de Goulpi II dans mon cahier, je me suis rendu compte que les mots s'étaient effacés. Sans doute une particularité des monstres quand ils écrivent? Heureusement que j'ai encore une bonne mémoire. À partir de maintenant, je résume tout au fur et à mesure.

27 avril

Hier, c'est notre grande Plonchette stressée qui m'a donné des nouvelles vers les onze heures du soir. Pas par courrier, par téléphone ! Plonchette, qui a toujours vécu à l'intérieur des murs de ma maison, ne sait plus quoi faire d'elle-même une fois partie en voyage. Elle m'a téléphoné du haut d'une montagne, plus précisément de Tzibzone, au Ratapan. Ça me semble un endroit bien sauvage, mais ils ont tout de même le téléphone. Plonchette vit là, au beau milieu d'une tribu dont le chef s'appelle Parzog, et dit me connaître. Quel imposteur ! Je ne connais personne au Ratapan, je ne sais même pas où c'est. Plonchette a peur de tout, du vent, des cris des animaux dans la montagne, du noir dans sa chambre. « Je vais essayer d'être courageuse », m'a-t-elle dit. Bon courage, ma Plonchette ! On ne peut pas passer toute sa vie à gémir entre les murs d'une maison, et à hurler comme une meute de loups affamés. Quelques petites peurs ne lui feront pas de tort !

Au moment où j'allais me coucher, épuisée par ce long coup de fil, un oiseau rose s'est mis à taper du bec à la fenêtre de ma chambre. Dès que j'ai ouvert, il a laissé tomber un papier et s'est aussitôt envolé. C'est un mot du tout petit Milon qui a décidé de m'envoyer des lettres par ses amis oiseaux. Il a atterri au Bluquubilar et n'a pas eu à payer son billet d'avion. Il est tellement petit qu'il s'est accroché au pantalon d'un passager et s'est caché sous un siège pendant tout le voyage. Ça me fait toujours ça d'économisé !

PAR AVION
AEROGRAMME
MÉNÉPUSTAN
NANAKO
2010
AIR MÉNÉPUSTAN
À LA GALOCHE JOYEUSE
2707, rue de Nanako,
Nanako-Ménépustan
Souliers croco-plus noirs 129.99
Souliers croco-plus bruns 144.99
Bottines de marche Nanako 89.99
Godillots la Galoche 258.99
Ventes nettes 623.96
TVM 56.16
VENTES TOTALES 676.12
PAYÉ
Remboursement ou échange dans les 30 jours suivant l'achat.
Reçu de caisse et emballage intact obligatoire.
www.alagalochejoyeuse.com

13 mai

Le facteur s'amuse ! Il adore les enveloppes aux timbres magnifiques que je reçois de mes monstres et il voudrait que je les lui donne pour sa collection. Pas question, je les garde !

De tous les pays où sont nos monstres, je n'en connais aucun. J'ai eu beau chercher dans l'atlas, je ne trouve rien. Y aurait-il des pays dont l'existence n'est connue que des monstres ?

Dans sa deuxième lettre arrivée hier, Goulpi II, toujours aussi mécontent et aussi insolent, écrit : *Quand on est en voyage, on n'a pas le choix, il faut marcher. Tu n'imagines pas que je vais passer un an enfermé dans une chambre d'hôtel ! Alors, je marche et… j'use terriblement mes chaussures. J'ai dû en acheter quatre nouvelles paires dans une très chic boutique, « À la Galoche joyeuse ». Je t'envoie la facture, oui, oui, c'est à cause de ton idée folle que je dois marcher ainsi. Tu me rembourseras à mon retour, vieille bêtasse ! Et ça coûte cher !* Et il signe : *Goulpi II qui est encore fâché.*

Eh bien, la vieille bêtasse ne les paiera pas, ses chaussures. Il raconte aussi qu'il a fait si peur à une petite fille qu'elle a hurlé jusqu'à faire éclater les vitrines d'une boutique de jouets. Il se trouve très drôle. J'imagine qu'il a dû casser aussi les jouets de la boutique, c'est sa spécialité, briser les jouets.

C'est tout de même bizarre,
toutes les lettres qui s'effacent une fois que je les ai lues…

17 mai

Enfin, le gentil facteur m'apporte des nouvelles de madame Gérande, la grosse bouboule au rire atroce. Un malheur de plus dans sa vie ! On dirait qu'elle les collectionne. Figurez-vous qu'avant de partir, elle avait tricoté un joli sac à main en fil de soie. Elle y a mis toute sa fortune. Sauf qu'à l'aéroport (et elle ne sait pas du tout comment c'est arrivé), le sac s'est détricoté et elle a tout perdu. Comme elle est sourde et très distraite, elle ne s'est aperçue de rien. Ce qui restait de son sac, c'était un long, très long fil de soie qui traînait derrière elle. En lisant sa lettre, je n'ai pas pu m'empêcher de rire… Elle s'est si souvent moquée de vous, mes chers petits, que je ne peux pas vraiment m'apitoyer sur son sort. Et puis son gros rire (vous le connaissez, son gros rire !), elle n'a certainement pas dû s'en servir ce jour-là !

Là où elle est, à Ouak dans le Grand Sud, les gens semblent très gentils car, lorsqu'elle demande quelque chose en souriant, on le lui donne. De quoi manger, un endroit où dormir… Elle a bien de la chance. Elle réussit mieux avec ses sourires qu'avec son rire effrayant! Elle m'envoie des nouilles séchées qu'on doit faire tremper toute une nuit: elles deviennent géantes et avec trois ou quatre nouilles, on peut faire un repas complet. Pas certaine de vouloir essayer. Peut-être demain?

Sa lettre s'est effacée en trois secondes, comme les autres…

27 mai

Je ne connais pas le prix d'une communication téléphonique entre le Ratapan et ici, mais la Plonchette doit se ruiner. Ce soir, elle était dans un tel état d'énervement que j'avais du mal à saisir ce qu'elle racontait. Il semble que Parzog (son chef de tribu) lui a offert une descente de rivière en pirogue. Comme Plonchette ne communique que par gestes puisqu'elle ne parle pas le ratapanais, elle n'a pas réussi à expliquer qu'elle était terrorisée par la rivière bouillonnante. La pirogue piquait du nez, remontait, bondissait par-dessus les rapides, voguait un moment sous l'eau (l'horreur !) et contournait des rochers effrayants. Plonchette a cru mourir... Elle ne sait donc pas que les monstres sont éternels ? Conclusion : elle a décidé de rester bien sage sur sa montagne et de ne plus bouger de là.

Avant d'aller dormir, je regarde la lune éclairer mes lilas en fleurs et je me demande comment va le vilain petit Milon.

5 juin

C'est sous une féroce averse de grêle que le facteur est passé ce matin. Je l'ai fait entrer pour prendre un thé en attendant que ça cesse.

— Encore une lettre de l'étranger ! s'est-il exclamé. Où c'est, le… attendez, le Sghilinghili ? C'est bien ça qui est écrit sur le timbre, non ?

Il a de bien bons yeux, mon facteur ! Moi, il me faut une loupe pour déchiffrer ce qui est écrit sur les timbres.

Une fois le soleil revenu et le facteur parti, je me suis empressée d'ouvrir la lettre de Nuche, la deuxième depuis son départ. Là, toute une histoire ! Il explique que, après avoir emprunté un livre à la bibliothèque de la ville sur l'histoire du pays (que j'aimerais bien connaître… !), il est allé lire sur la plage. Mais une énorme vague a balayé le sable, a emporté le livre et a… teint le Nuche en rouge. De l'eau de mer qui colore la peau, je n'ai jamais entendu parler de ça ! Mais au Sghilinghili, tout semble possible. Le patron de l'hôtel où il habite lui a affirmé que la pluie le ferait déteindre. Sauf qu'il ne pleut pas et qu'il n'a pas plu depuis des semaines. Nuche se trouve très laid et craint de me faire peur à son retour s'il ne retrouve pas sa couleur naturelle. Peur, moi ? Mais pour qui me prend-il ?

li pint dis siipirs

10 juin

La fin de l'année scolaire arrive ! Pas de monstres à l'horizon, vous allez dormir comme des oursons, chers enfants.

Hier, j'ai reçu de madame Gérande un petit colis dans lequel elle avait mis un papier d'emballage de bonbons qui sont censés être délicieux, un sachet de soupe (vide) avec une petite note qui me dit que c'est exquis et un paquet d'une sorte de pâte à mâcher qui a un goût atroce.

Elle ne dit rien sur les gens de l'île de Mouak où elle est maintenant (d'après le tampon de la poste), elle ne parle pas de ce qu'elle fait, rien.

Mais de vous, oui ! Elle dit que vous n'êtes pas gentils avec moi parce que vous m'appelez Mémère. Pour elle, c'est un nom pour les grands-mères de quatre-vingt-douze ans et je suis trop jeune pour ça. Ce qu'elle ne sait pas, la grosse bouboule, c'est que vous m'appelez Mémère pour rire. Elle ne connaît pas non plus tous les noms gentils que vous me donnez.

Ce matin, vers les cinq heures, l'oiseau rose est revenu. Comme la fenêtre de ma chambre était ouverte, il est entré et a laissé tomber un petit papier plié sur mon lit. C'est Milon qui écrit ceci : *Je suis au Chkribukuri, c'est encore plus beau que le Bluquubilar. C'est une île au milieu de la mer des Rats, mais il n'y a pas de rats. Le soir, le soleil tombe dans la mer comme un gros ballon, on le regarde et on pleure tellement c'est beau. Je t'embrasse et tous mes amis aussi.*

Il ne parle pas de ses mauvais coups, c'est très étrange…

la bibliothèque nationale de Lhinghli

15 juin

Je reçois la troisième lettre de Nuche en cette très chaude journée de juin, ça sent l'orage. Rien de très particulier, Nuche est toujours rouge. Il croyait se faire gronder à cause du livre de bibliothèque que la mer a emporté. Il a été plus que grondé, mais pour une autre raison : le directeur de la bibliothèque est convaincu qu'il a volé la carte d'abonné qu'il a présentée. Quand il a fait la photo pour la carte, il avait sa couleur de peau naturelle. Maintenant qu'il est rouge, le directeur l'accuse d'être un usurpateur. Rouge ou pas rouge, avec sa tête de monstre, il est pourtant facile à reconnaître, le Nuche ! À moins que tout le monde, dans ce pays-là, ait une tête du même genre ?

Les magasins sont ouverts toute la nuit, il adore ça. Et il va au concert presque tous les soirs.

Il m'envoie une recette de Ghslingshling que je m'empresse de préparer, car ma voisine s'en vient manger.

1 ling rouge émincé (sorte de chou rouge)

1 grosse ghlign verte en petits cubes (une pomme verte fera l'affaire)

1 shligh haché (c'est un oignon tout bête)

1 petite poignée de lighlili haché très finement (genre de persil très frisé)

Mélanger tous les ingrédients et ajouter une bonne ghlishshing (vinaigrette)

Nuche dit qu'il s'en fait un grand bol chaque semaine.

C'est le fameux hôtel
de monsieur Gérard.

2 juillet

Cette fois, c'est de l'île de Pouak que m'écrit madame Gérande. Ouak, Mouak et Pouak, pas facile de s'y retrouver ! Enfin, elle explique comment c'est, ce pays du Grand Sud. D'abord, ce sont soixante-douze îles, seulement des îles parmi lesquelles on se déplace en bateau. Il y fait extrêmement froid, les maisons sont en neige et en glace. Mais, comme elle l'écrit, avec son poil naturel, elle ne craint rien. Les habitants des îles portent de gros manteaux de fourrure, elle n'a donc pas l'air d'une étrangère. Ça, c'est ce qu'elle croit. Pour moi, entre une grosse boule de poils et quelqu'un qui porte un manteau de fourrure, il y a une énorme différence !

Elle habite un charmant hôtel dont le patron est, paraît-il, très beau. Au restaurant de l'hôtel, on mange de petites boulettes, seulement ça, dit-elle, avec parfois quelques légumes et une sauce qui varie chaque jour. Un jour sur deux, le patron ajoute une nouille géante aux boulettes.

J'y pense tout à coup : j'ai complètement oublié de goûter à celles qu'elle m'a envoyées le mois dernier.

15 juillet

Encore un coup de téléphone de Plonchette, et en pleine nuit, celui-là ! J'aimerais cent fois mieux qu'elle écrive. Si elle appelle, c'est qu'elle est prise de panique. En mai, je lui avais demandé si elle possédait un téléphone. Non, l'appareil est installé au sommet d'une très haute tour construite au milieu du village. Comme elle a le vertige, il lui faut un grand courage pour monter là-haut.

Voilà que la nuit dernière, alors qu'elle dormait depuis longtemps, elle a senti qu'on rôdait autour de sa petite maison. Puis elle a entendu quelqu'un frapper sur les murs. Elle s'est levée sur la pointe des pieds, a soulevé le rideau : rien, rien ni personne. Son cœur battait si fort qu'elle ne savait plus ce qui faisait le plus de bruit : son cœur ou les coups. Ensuite, elle a entendu un grand gémissement. Elle s'est recouchée en tremblant et n'a pas dormi de la nuit.

Ce matin, elle a demandé au chef Parzog (par gestes, car elle n'arrive toujours pas à apprendre le ratapanais) ce qu'il s'était passé durant la nuit. Rien, a-t-il répondu, par gestes lui aussi. Plonchette a terriblement peur que ça se reproduise cette nuit. Elle a recommencé à se ronger les griffes. Je l'ai suppliée de ne plus téléphoner en pleine nuit. Pour toute réponse, elle a poussé un profond soupir et elle a raccroché. Je dormirai maintenant avec des bouchons dans les oreilles.

PLAN DE DIJIMAKO

1. [illegible]
2. Part of the Upper [illegible]
3. [illegible] Parade.

4. [illegible] 5. The [illegible]
6. [illegible] 7. [illegible]
8. The [illegible]

[illegible] of the [illegible] Castle at [illegible]
Castle [illegible] taken from the [illegible] before the [illegible]

29 juillet

Goulpi II est déchaîné ! Il m'envoie le plan du village où il habite depuis quelque temps et indique au crayon rouge les maisons où il y a des enfants à effrayer. Il a numéroté chaque maison et fait peur aux enfants dans l'ordre. Plus fou que jamais ! Le village s'appelle Dijimako, toujours au Ménépustan. Goulpi II précise qu'il est au septième ciel dans ce petit coin reculé, car les familles sont nombreuses. Il est également ravi à l'idée que j'aie pu m'inquiéter à son sujet au cours des derniers mois, puisqu'il n'envoyait pas de nouvelles. Avant que je m'inquiète pour lui, les poules auront non seulement des dents, mais de magnifiques dentiers.

c'est bizarre ! les dessins ne s'effacent pas...
comme les adresses sur les enveloppes !

12 août

Le facteur était tout heureux de m'apporter une enveloppe bien joufflue, bien épaisse. C'est Plonchette qui m'envoie des dessins qu'elle a faits d'une hutte dans la forêt, d'une chute d'eau chaude où elle fait son lavage, d'une sorte d'hippodrome où les gens de la tribu font des courses de moutons. Elle a aussi dessiné quantité de moutons. Depuis son coup de fil de juillet, elle n'a plus jamais entendu de bruit la nuit, tant mieux ! Elle dit qu'elle ne veut pas voyager, préfère rester dans sa tribu et vivre une vie simple. Tout le monde est très gentil, les Ratapanais parlent en ratapanais, Plonchette en français. Il semble que ça fonctionne très bien.

Je me pose toutefois une question… Elle qui hurlait comme une déchaînée quand elle vivait dans mes murs, que fait-elle maintenant ? Si elle téléphone encore, il faudra que je pense à le lui demander.

19 août

À lire les lettres de Nuche, on ne croirait jamais que c'est lui qui racontait des histoires épouvantables pendant la nuit ! Il est amusant comme tout. On dirait que le voyage l'a complètement transformé. Dans le courrier de ce matin, il me confie qu'il a commencé à étudier sérieusement le sghilinghilish, la langue qu'on parle au Sghilinghili, vous l'aurez compris. Voici ce qu'il écrit : *C'est très, très difficile. Je ne sais pas si j'y arriverai. La chose drôle, c'est qu'il n'y a qu'une seule voyelle, le I. Pas de A, pas de E, pas de O, pas de U, pas de Y non plus. Et quand les gens rient, ils font tous hi, hi, hi ! Personne ne fait ha, ha, ha ! Je me demande s'ils ont un père Noël. En tout cas, s'ils en ont un, il ne peut pas faire ho, ho, ho !*

Vers les huit heures, au moment où j'allais me promener le long de la rivière, l'oiseau rose est revenu, laissant tomber devant ma porte deux courtes lettres du minuscule Milon. Elles sont toutes chiffonnées et elles ont attrapé la pluie, je crois. Je les transcris ici.

Ici j'issiii d'icriri cimmi ils li fint ii Sghilinghili, c'ist plitît drîli...

Lettre 1

Je suis revenu au Bluquubilar avec mes amis. On joue des tours extraordinaires. Mes amis, ce sont des spécialistes du mauvais coup ! On attache des couleuvres aux tresses des dames chic et elles hurlent. C'est très drôle. Bisous de Milon

Lettre 2

Nous partons pour le Chouikrou, c'est loin, on y va en bateau. Notre dernier bon tour : on a fait des trous dans la barque d'un monsieur qui ne voulait pas nous faire traverser jusqu'au Chouikrou. Tant pis pour lui. Bisous de Milon

Bisous de Milon ? C'est louche, non ? Il deviendrait tendre ?

27 août

Aujourd'hui, je reçois une autre lettre de Nuche. Deux dans le même mois ! Et quelle nouvelle ! Le voilà vedette d'un groupe de musiciens-chanteurs. Il allait les écouter souvent et, trouvant leur musique très belle, il s'est mis à en fredonner les airs. Éblouis par sa voix, les spectateurs l'ont forcé à monter sur scène et à chanter avec le groupe. Pauvre Nuche, il ne sait plus quoi faire, les musiciens veulent qu'il soit de tous leurs concerts. Le plus bête, écrit-il, c'est que pendant le concert il a enfin plu ! Il a raté sa chance de retrouver sa couleur originale… En tout cas, il a de l'avenir. Qui aurait cru qu'il avait une si belle voix ? À moins qu'il ait une voix horrible, mais qu'elle plaise aux gens du Sghilinghili…

Li Mindi

www.limindi.sgh

Li quitidiin di Linghli mitripilitiin-3i iditiin — jiidi 15 iiît — Diricitiir: Frinçiis Thisdili

Nichi fiit sinsitiin i Lhinghli

MITII

min 21 mix 33

VIYIGI

Spirlingi

SPIRTS

Iirilii

Hiir siir, ii thiîtri Christiini Duchisni di Lhinghli, li silli i iti chirmii pir li tilint imminsi di Nichi. Il ist divini li niivilli ciquilichi di mindi dis irts i di li misiqui.Il n'i i pis in iitri irtisti qui i si trinscindir li fiili di timpli di li misiqui di Lhinghli. Intiiri di misiciins igiiirris, Nichi i piisi dins li ripirtiiri di li misiqui dis inniis siixinti dix. Jimmi Pigi, giitiristi di rinim, i iissi cintribii i siilivir l'iiditiiri. Lis irringimints di Jihn Piil Jihns int vriimint crii in inivirs migiqii.

Li spicticli s'ist iivirt sir in iir cinni: Hiirtbriikir di Lid Zippilin. Li fiili prisinti itiit diji cinqiisi it Nichi i simbli idirir ci primiir cintict ivic li piipli di Sghilinghili. Il i chinti dins l'irdri: If yii'ri giing ti Sin Frincisci, Cimmi in fii tiri di l'Hiptidi d'Hirminiim, Hii Jii di Jimmi Hindrix, Ridirs in thi Stirm dis Diirs it Mii-Ligir di griipi qiibiciis Kirkwi. Dirint l'intirmissiin li fiili in diliri n'i pis cissi di scindir Nichi-Nichi-Nichi... Piis i sin ritiir sir scini il i riinvinti li filkliri sghlingh. Niis ivins ii l'iccisiin de diciivrir di niiviix iirs incinnis i ci jiir.

Ji ni viis cichiriz pis qii niis ittindins tiis li sirtii d'in ilbim. Viis piirriz li viir dimiin siir i l'immissiin di Gii I Lipigi. Il intirptitiri qiilqiis ins di sis chinsins.

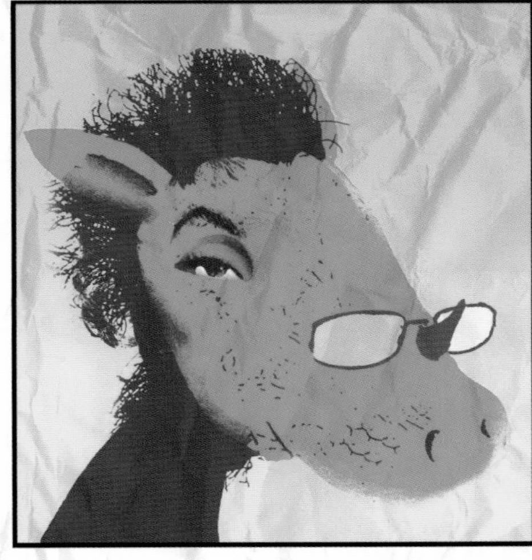

Lis prichins spicticlis sint tiis i giichits firmis.. Il siri in tiirnii piir inciri plisiiirs miis. Dis ditis int iti ajiitiis i Lhinghli. Ciiriz viis pricirir dis billits. Ils s'invilirint cimmi dis pitits piins chiids. Nichi i in chirmi fii ivic sin iccint sirti d'in ni siit ii it sis iirs d'inimil intilictiil. Siili imbri ii tiblii, dis vindilis int siccigi li cintri-villi di Lhinghli, pribiblimint fristris di n'iviir pi si pricirir dis billits piir lis cincirts di Nichi.
Jiint pir tiliphini, Nichi i idmis itri sirpris di tiiti citti pipiliriti sibiti it diçi dis ictis di viilinci pirpitris i li siiti di si dirniiri pristitiin. Il niis i pirli d'ictis similiiris s'itint pridiits chiz-lii, i Mintriil lirs di victiiris di l'iqiipi licili di hickii, lis Cinidiins, viinqiirs di vingt-qiitri chimpiinnits. Il iimiriit pirtigir ivic niis cit ingiiimint piir ci qu'il ippilli "li spirt nitiinil di sin piis".

Sis infliincis mijiiris vint di Jicqiis Bril i Sirgi Fiiri, liidir di difint griipi di rick prigrissif Hirminiim, incinni ici jisqi'i ci jiir. Il i si fiiri ini plici spiciili i li chinsin d'ici in intirpritint (i mirviilli) nis clissiqiis. Ivint di qiittir li sille, ipris sin qiitriimi rippil, il i lichi in "Vivi li Sghilinghili libri!" qii i siilivi li fiili missii piir l'icclimir.

Ini niivilli itiili ist nii, ini niivilli viix niis ist iffirti, Nichi, iniqii in sin ginri. Viis piirriz liri divintigi sir sin pirciirs qii l'i mini jisqi'i Lhinghli. Nitri cilligii Diniil Jidiin s'ist intritini ivic lii it viis livri in pirtriit vibrint di ci phinimini di li scini licili, rigiinili it nitiinili. Nichi l'irtisti, Nichi li citiiin di mindi, Nichi li chintiir, li giitiristi it inciri plus i dicivrir (siiti in pigi I2).

Iirilii, riini di li gimnistiqii

Iirilii, Iirilii, Iirilii, viili ci qii niis intindiins hiir siir ii stidi Ilimpiqii di Lhinghli. L'ithliti iriginiiri di Shinxi it vivint i Cirignin i iffirt ini pirfirminci împiccibli it s'ist miriti pis miinś di sipt midiillis d'ir.

Il n'i in iviit qii piir illi. Li fiili in diliri ni s'ist pis gînii piir mintrir sin illigiinci i Iirilii.
Iirilii s'icrit siilimint ivic in i dins sin piis. Li I ist chi[...]

it i bitti in ricird di l'issiciitiin spirtivi di Sghilinghili in riciltint sipt midiillis, in ixpl[...]

dins ini clissi i pirt. Iirilii Thisdili i dicidi di dimiirir i Lhinghli i di dimindir si citiiinniti Sghlingh.
L'intriîniiri Jisii-Inni Ligindri i iccipti di siivri di plis pris li cirriiri di la gimnisti di l'innii.

Nichi ist divini ini viditti!

6 septembre

Je le savais, je le savais ! Madame Gérande est tombée amoureuse du patron de l'hôtel où elle habite. Il s'appelle Gérard et notre grosse bouboule trouve que c'est bien charmant, Gérard et Gérande. Depuis sa dernière lettre, elle a visité quatre îles, mais elle revient toujours dans l'île de Pouak, à cause de… Gérard ! Évidemment, il lui est arrivé (encore !) quelque chose de bizarre. Comme on le sait, elle n'a pas d'argent, ayant perdu tous ses sous en partant quand son sac s'est détricoté. Mais elle a trouvé moyen de gagner sa vie. Comment ? Attention, c'est toute une nouvelle : en vendant son poil !

C'est le fameux Gérard qui lui a suggéré de raser sa magnifique fourrure et de la vendre aux fabricants de manteaux. Comme tout le monde doit porter un manteau de fourrure parce qu'il fait extrêmement froid dans le Grand Sud, et que madame Gérande est fabuleusement poilue, il y a de quoi gagner pas mal de sous.

La grande découverte, c'est que son poil repousse. Plus elle le rase, plus il en repousse et plus ça pousse vite ! Elle sera donc bientôt très riche. Déjà, elle peut s'acheter tout ce qu'elle désire.

Et comment fait-elle pour ne pas mourir de froid quand elle est rasée ? Elle porte un manteau de fourrure que lui a offert son cher Gérard ! Pas mal, madame Gérande, pas mal !

22 septembre

Ce matin, c'est une lettre bien intrigante que m'apporte mon cher facteur. Une courte lettre de Goulpi II qui semble en mauvaise posture. Plus fâché que jamais, mais pas contre moi, dirait-on. Il écrit qu'il a dû quitter le village de Dijimako pour se cacher dans un petit refuge de montagne. Qu'est-ce qu'il a bien pu faire, le vilain ? Il se plaint que ses chaussures sont très usées, mais qu'il n'ose pas aller en acheter de nouvelles. Pieds nus la plupart du temps, il se blesse souvent. Il se cache, mais de quoi et de qui ? Il y a un ruisseau près de sa cabane, il cueille des fruits dans les arbres, il mange aussi des feuilles. Au moment où il m'écrit sa lettre, il s'en va faire le guet au bord du ruisseau en espérant qu'il y passe un poisson ou deux.

Il a confié sa lettre à un berger qui descendait au village. Si mon cher facteur savait qui m'écrit toutes ces lettres, il serait bien étonné. Pour l'instant, je préfère garder le secret.

Nuche en spectacle à l'Olympie de Lhenghli

30 septembre

Des nouvelles de Nuche ! Il n'est plus rouge, mais rouge et bleu. Voici ce qu'il écrit : *Je n'ai pas encore signé mon contrat, je les fais attendre depuis des semaines. Je ne sais toujours pas quoi faire. Les musiciens veulent que je leur apprenne des chansons de chez nous. J'étais tellement énervé que je transpirais comme un cheval après la course. Partout où la sueur a coulé, ma peau est devenue bleue. Je suis rouge et bleu. Ils adorent ça, pas moi. Je ne comprends pas bien ce qu'ils disent, mais je pense qu'ils veulent avoir un chanteur qui change de couleur… C'est terrible.*

Je sais bien que tu as dit que tu ne nous écrirais pas et que nous devions nous débrouiller tout seuls… Mais j'aurais bien besoin de tes conseils.

Bien besoin de mes conseils ! Non, mon Nuche, l'idée de ce voyage, c'est en effet de vous débrouiller tout seuls !

Fantôme du premier chef de la tribu

2 octobre

Déjà les arbres rougissent, c'est joli ! En voyant les premières feuilles changer de couleur, j'ai pensé à Nuche, évidemment. Et je me suis demandé si, dans tous les pays où sont nos monstres, il y a des saisons. À part madame Gérande qui vit dans un hiver permanent, je ne sais rien des autres.

Plonchette a enfin écrit, je n'avais pas de nouvelles depuis le mois d'août. Elle a finalement percé le mystère des bruits qu'elle avait entendus cet été, la nuit.

Elle l'explique dans sa lettre : *C'est le fantôme du premier chef de la tribu, mort il y a à peu près cinq cents ans. Une fois par année, il vient faire le tour de toutes les maisons, il frappe, il chante (c'était ça, les gémissements), il gratte les murs et, ensuite, il retourne dans sa forêt. Personne ne veut me dire où il habite. Moi, je pense qu'un fantôme, ça n'habite nulle part.*

Il vient pour s'assurer que tout le monde va bien. Il n'y a aucune raison d'avoir peur. Je sais dire quelques mots en ratapanais : Bonjour, c'est Ep. S'il vous plaît, c'est quelque chose qui ressemble à Gna ou Nia. Merci, c'est Op. Bonne nuit, c'est Choup-choup. J'ai faim, c'est Aminami. Je suis malade, c'est Ochtapan, en traînant un peu sur le « pan ». Avec ça, je me débrouille. Quand je serai rentrée à la maison, on se parlera en ratapanais.

Elle m'envoie aussi le menu de la fête de Parzog : soupe de racines jaunes, salade de racines jaunes, mouton rôti aux racines jaunes, racines jaunes bouillies et tarte aux racines jaunes. Il paraît que c'est un peu comme des spaghettis, croquant, mais un peu amer. Je lui en ferai, moi, des vrais spaghettis quand elle rentrera, la Plonchette !

toilette publique — avenue du Parc, Dijimako

16 octobre

Je sais enfin pourquoi Goulpi II a dû se réfugier dans la montagne. À Dijimako, il a tant fait peur aux enfants qu'ils se sont vengés. Ils l'ont encerclé, et Goulpi II pense que leurs regards l'ont paralysé. Il ne pouvait plus bouger du tout. Puis, un petit garçon a brandi une bouteille en criant: « Attention ! » Il a débouché la bouteille, il en est sorti une bulle qui a grandi, grandi, grandi et qui, finalement, a avalé Goulpi II ! La bulle a explosé dans un grand paf ! qui lui a bouché les oreilles. Ensuite, il ne se souvient plus de rien. Tout ce qu'il sait, pauvre Goulpi II, c'est qu'il s'est retrouvé dans la montagne, au-dessus de Dijimako, où il a découvert la cabane dans laquelle il se cache maintenant. Il est épuisé, il a beaucoup maigri et il n'a plus du tout envie de faire peur aux enfants. C'est toujours ça de pris ! Qu'est-ce qu'il y avait dans cette petite bouteille ? Je voudrais bien le savoir. En tout cas, ça semble rendre les monstres inoffensifs. J'aimerais bien en avoir une, au cas où…

parc national de la rivière Dijimako

22 octobre

Aujourd'hui, un petit mot de madame Gérande, tellement amoureuse qu'elle en oublie de donner des nouvelles. « Encore une lettre du Grand Sud ! m'a dit le facteur. C'est près de la Floride ? » Bien embêtée, j'ai haussé les épaules. Ce que je sais, c'est que ni le Grand Sud, ni le Ménépustan, ni le Ratapan, ni le Sghilinghili, ni le Bluquubilar, ni le Chkribukuri, ni le Chouikrou n'existent dans mon atlas. Je ne vais pas commencer à expliquer ça au facteur !

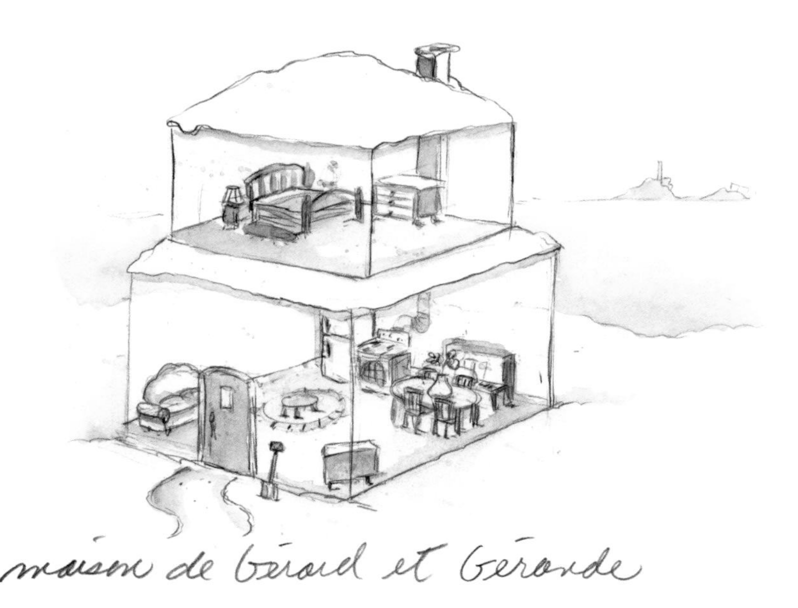

Madame Gérande s'est déjà rasée six fois, elle est riche comme on n'imagine pas, elle voyage dans les îles avec son Gérard et elle est heureuse. Ils ont visité la grotte des Sons, la vallée des Murs et le château de Fouak. Ils habitent dans une maison tout en glace, les murs sont transparents, pas besoin de fenêtres. Elle écrit que, sans son poil, elle est très drôle.

J'ai reçu hier la visite de l'oiseau rose. Il apportait un petit mot de Milon qui raconte que le Chouikrou, c'est pourri. Les gens portent tous des lunettes très épaisses et ils voient tout. Alors, même si Milon et ses amis sont minuscules, les gens les voient grâce à leurs lunettes et les chassent à coups de balai. Ils repartent, mais Milon ne dit pas où.

Ah, la vie de notre grosse bouboule est remplie de surprises ! Première nouvelle : Gérard l'a demandée en mariage. Si elle se marie, elle voudrait bien passer la moitié de l'année dans le Grand Sud, et l'autre ici, avec nous, et Gérard bien évidemment ! Il faut que j'y réfléchisse sérieusement.

Deuxième nouvelle : ses minuscules pieds et ses minuscules mains se sont mis à pousser ! Gérard dit que c'est l'air du Grand Sud et il est ravi parce que Gérande peut lui faire des caresses dans le cou, façonner des boulettes, dessiner et marcher au lieu de faire des bonds.

À la fin de sa lettre, elle me souhaite un joyeux Noël ! Ils fêtent Noël en novembre, dans le Grand Sud ? Ils ont décoré la façade de l'hôtel avec des branches séchées pleines de petites boules rouges.

Un petit mot de Milon avant-hier, porté par l'oiseau rose : il habite pour quelques semaines à Skovpet, la capitale du Roupetskovnov. Il place des pétards sous les bancs publics où lisent les vieilles dames, et paf ! elles tombent sans connaissance. Très drôle, Milon !

17 novembre

Décidément, notre Goulpi II a bien changé, il commence sa lettre par *Chère Mémère* ! J'ai enfin appris ce qui lui est arrivé. Les enfants du village sont allés le chercher, il était trop fatigué pour marcher, mais il n'a pas eu le choix. Ils l'ont fait asseoir sous le grand arbre du village de Dijimako où une dame qui parle toutes les langues lui a tout expliqué. Le contenu de la fameuse petite bouteille qui s'est transformé en bulle, c'est un antipeur neutralisateur de monstre inventé par un petit garçon de cinq ans, un véritable génie, écrit Goulpi II. Il est donc devenu un monstre gentil, très ordinaire, et il va rester comme ça toute sa vie.

Il a demandé s'il pouvait en avoir une petite bouteille, lui aussi, mais la dame a refusé d'un ton sec. Goulpi II n'a pas osé protester. Voici le résultat : il ne peut plus faire peur et il ne peut plus avoir peur. Personne dans le village n'a d'ailleurs peur de quoi que ce soit, surtout pas de Goulpi II !

Comme il est maintenant parfaitement inoffensif, il pourrait revenir tout de suite, mais il écrit qu'il respectera le contrat et ne reviendra qu'une fois l'année terminée, comme prévu. Il va pouvoir retourner à Nanako acheter de nouvelles chaussures.
Et il n'aura pas peur de prendre l'avion au retour !
Quelle merveille !

NICHI I LHINGHLI

SIMIDI 24 ICTIBRI 20 HIIRIS II THIITRI CHRISTIINI DICHISNI

piir plis di rinsiignimints: www.nichiintiirnii.sgh/lhinghli

22 novembre

J'ai à peine eu le temps de pelleter les monceaux de neige tombés cette nuit que le facteur m'a apporté une grande enveloppe qui contenait une lettre de Nuche et une affiche de son concert. Voici ce qu'il écrit :

J'espère que tu ne t'inquiètes pas trop ! Je suis en tournée à travers tout le Sghilinghili avec mon groupe de musiciens. C'est merveilleux ! Je leur ai appris toutes sortes de chansons. Celle qu'ils préfèrent, crois-le ou non, c'est « Au clair de la lune ». Chaque soir, je change de couleur. Ils m'arrosent chaque jour avec une eau différente : une fois, ils y ajoutent un truc qui ressemble à du sel, une autre fois à du sucre et, à tout coup, je change de couleur. Ils me font des rayures, des zigzags, toutes sortes de motifs. Le public adore ça : tout le monde essaie de deviner de quoi j'aurai l'air au prochain concert.

Ne t'inquiète pas : comme il pleut de temps en temps, je peux retrouver ma couleur originale. Il n'y a que l'eau de pluie pour ça.

Tout va bien et je suis heureux comme jamais ! Ne te tracasse pas trop si tu ne reçois pas de lettre pendant quelque temps, dans certaines villes il n'y a pas de bureau de poste.

Nuche, vedette de la chanson au Sghilinghili !

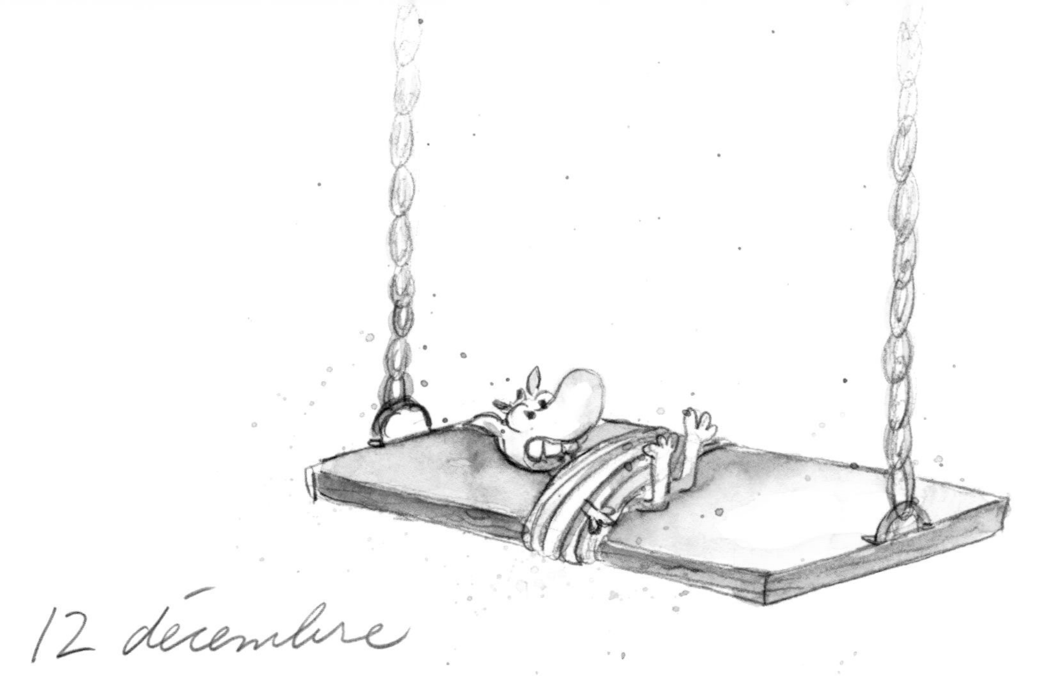

12 décembre

L'oiseau rose a laissé un mot de Milon sur le rebord tout enneigé de la fenêtre. Heureusement qu'il ne vente plus ! Le petit Milon raconte qu'il a un peu exagéré en installant un dispositif pour faire tourner les balançoires à l'envers à toute vitesse. Les enfants allaient tous tomber tête la première lorsqu'un grand monsieur a aperçu Milon, l'a attrapé par la peau du cou et l'a ligoté à l'une des balançoires. Milon a eu la peur de sa vie et il a décidé de cesser les mauvais coups pour quelques jours. Il trouve que c'est bien dommage, car il en avait une bonne quantité en réserve. Le pire, c'est que ses amis se sont terriblement moqués de lui.

De son côté, Plonchette a bien l'air de dominer ses peurs. Elle a visité une mine très profonde sans aucune crainte. Dans cette mine, on ramasse des œufs qui, lorsqu'on les arrose, s'ouvrent et laissent voir des pierres précieuses de toutes les couleurs. Mais, comme l'explique Plonchette, ces pierres magnifiques ne servent à rien du tout. On les regarde briller sous le soleil une fois sorties de la mine et, au bout d'une heure ou deux, elles disparaissent.

Notre chère Plonchette (que j'aime de plus en plus) dit qu'elle a cessé de se ronger les griffes.

15 décembre

Cette nuit, vers les trois heures du matin, j'ai été réveillée par une sorte de toc-toc-toc acharné. J'ai cru qu'une branche tapait sur ma fenêtre, mais non, c'était le bel oiseau rose. Quelle heure pour apporter le courrier ! Cette fois-ci, Milon écrit qu'avant de partir en voyage, il y a maintenant neuf mois, il a oublié ses dentiers dans la salle de bain. Il lui a fallu tout ce temps pour s'en rendre compte ? Quel ahuri ! Dans la salle de bain, j'ai eu beau chercher, je n'ai jamais trouvé de dentiers. Peut-être y a-t-il, quelque part dans ma maison, une salle de bain invisible réservée aux monstres ? Toujours est-il que l'oiseau rose lui a fabriqué des dents en cire qui tiennent très bien. Milon dit qu'on dirait des vraies.

De son côté, madame Gérande doit être de plus en plus heureuse : elle écrit moins souvent et m'envoie de très courtes lettres. Dans celle d'aujourd'hui, elle signale qu'elle s'habitue de plus en plus à ses mains et à ses pieds, à ses bras et à ses jambes. Elle me fait remarquer qu'elle ne fait jamais de fautes en m'écrivant et elle explique bien candidement que c'est Gérard qui corrige tout ce qu'elle écrit. Et comme Gérard a l'air absolument parfait, il ne doit jamais faire de fautes…

Mon cher facteur m'a dit qu'il me donnerait un cadeau pour Noël… et moi, qu'est-ce que je vais lui offrir ?

À la Galoche joyeuse, 2707 rue de Nanabo

23 décembre

Ça y est, Goulpi II est enfin rentré à Nanako, il passera Noël avec le marchand de chaussures, c'est la seule personne au Ménépustan avec qui il peut converser, si l'on excepte la dame de Dijimako qui parlait toutes les langues. Le marchand de chaussures, monsieur Jean, a installé un magnifique sapin devant sa boutique « À la Galoche joyeuse ». Chaque jour, il dépose au pied du sapin des boîtes joliment emballées. Goulpi II est convaincu qu'il s'agit de paires de chaussures que monsieur Jean va lui offrir. Il lui a prêté une chambre au-dessus de sa boutique, très jolie, précise Goulpi II. Il peut donc cuisiner et se remplume lentement, il avait vraiment beaucoup maigri à force de manger des feuilles. Ils partent pour de courtes vacances quelque part à l'autre bout du Ménépustan, là où il n'y a pas de boîtes aux lettres. Je n'aurai donc pas de nouvelles avant un petit moment. Il continue de m'appeler *Chère Mémère…* et il me souhaite le meilleur des Noëls !

Ils ont bien changé en quelques mois, nos terribles monstres.

8 janvier

Noël et le jour de l'An, tout cela est derrière nous maintenant. Quelles belles fêtes nous avons eues ! Le facteur m'a offert un cahier pour ranger mes timbres étrangers. En échange, je lui ai donné un gâteau aux fruits, ceux que j'ai faits cette année sont excellents.

Ce matin, sous un soleil vif, l'oiseau rose a apporté trois lettres de Milon que je copie tout de suite. Il ne va pas bien du tout, le petit Milon.

Lettre 1

Aujourd'hui, je suis malade. J'ai mangé des queues de serpent frites, et c'était bien trop gras. Tu fais bien de dire à tes petits de faire attention à la friture ! La preuve que c'est mauvais pour la santé, je suis devenu vert.

Lettre 2

Ça va de plus en plus mal. Mes amis me trouvent moins drôle qu'avant. Je suis encore malade et mort de fatigue. Alors, ils en profitent et me jouent des tours, à moi!!! Ils ont mis du savon dans mes bottes de pluie, j'ai glissé, je me suis tordu un pied, ça fait mal. J'ai envie de rentrer à la maison pour que tu prennes soin de moi.

Lettre 3

Je reste enfermé dans ma chambre. J'en ai assez. Je vais prendre le prochain avion pour rentrer à la maison, même si ça ne fait pas du tout un an que je suis parti. Je ne te dérangerai pas, je ne ferai pas de bruit. Je resterai bien sage, peut-être un petit mauvais coup de temps en temps pour ne pas perdre la main, c'est tout.

Non, non, non, il ne doit revenir qu'en mars comme prévu, il triche, le Milon!

Plonchette a l'air d'être en pleine forme, enfin ! Elle est allée en forêt sans avoir peur, dans une grande hutte dont elle m'avait fait un dessin au mois d'août. Cette hutte, c'est un hôtel. Et ce que Plonchette trouve hyper amusant, c'est que le propriétaire est le fantôme qui lui avait fait si peur. Il fait ce qu'il veut, il change les chambres de place, il modifie le décor à toute heure, il fait apparaître des fontaines au milieu du salon, organise des courses de girafes dans les couloirs. Il a même fait voler un piano à queue.

J'aimerais bien passer des vacances dans un hôtel comme celui-là. La question embêtante est la suivante : est-ce que le Ratapan est un pays exclusivement réservé aux visites des monstres ?

Le facteur vient de revenir, il avait oublié une lettre au fond de son sac. C'est encore Plonchette : elle m'envoie une carte de Noël en ratapanais… et s'excuse du retard.

Joyeux Noël en rotapanais, c'est : Cloutpik Ramani

27 janvier

Dernière minute : livraison par l'oiseau rose d'un petit mot de Milon (toujours très courtes, les lettres de Milon) qui, finalement, a changé d'idée. Un rien suffit à le détourner de ses objectifs. Il a rencontré un gros chat à qui il a voulu attacher une cloche au bout de la queue. Le chat a voulu le manger, Milon lui a promis qu'il serait sage, et ils sont devenus amis. Il voyage maintenant à dos de chat et il adore ça.

B.-sur-Blug

8 février

Goulpi II vient de rentrer à Nanako, après quatre mois de voyage avec son monsieur Jean. Il a fait le tour du Ménépustan et il est ravi. Il ne veut rien raconter, il me dit qu'il fera ça de vive voix quand il reviendra. Monsieur Jean m'envoie ses amitiés, et je soupçonne Goulpi II de vouloir me rapporter quelques paires de chaussures.

Il reste encore plusieurs semaines avant le retour de nos monstres ! Je commence à avoir très hâte de les revoir. Je me dis que j'ai bien fait de résumer ainsi toutes leurs lettres depuis avril dernier et d'en copier des extraits avant qu'elles s'effacent. Sinon, il ne resterait rien de tout ce qu'ils m'ont raconté.

la preuve que
tout s'efface!
M

18 février

Madame Gérande est déjà en route ! Elle rentre en bateau et prévoit que le voyage prendra un peu plus d'un mois.

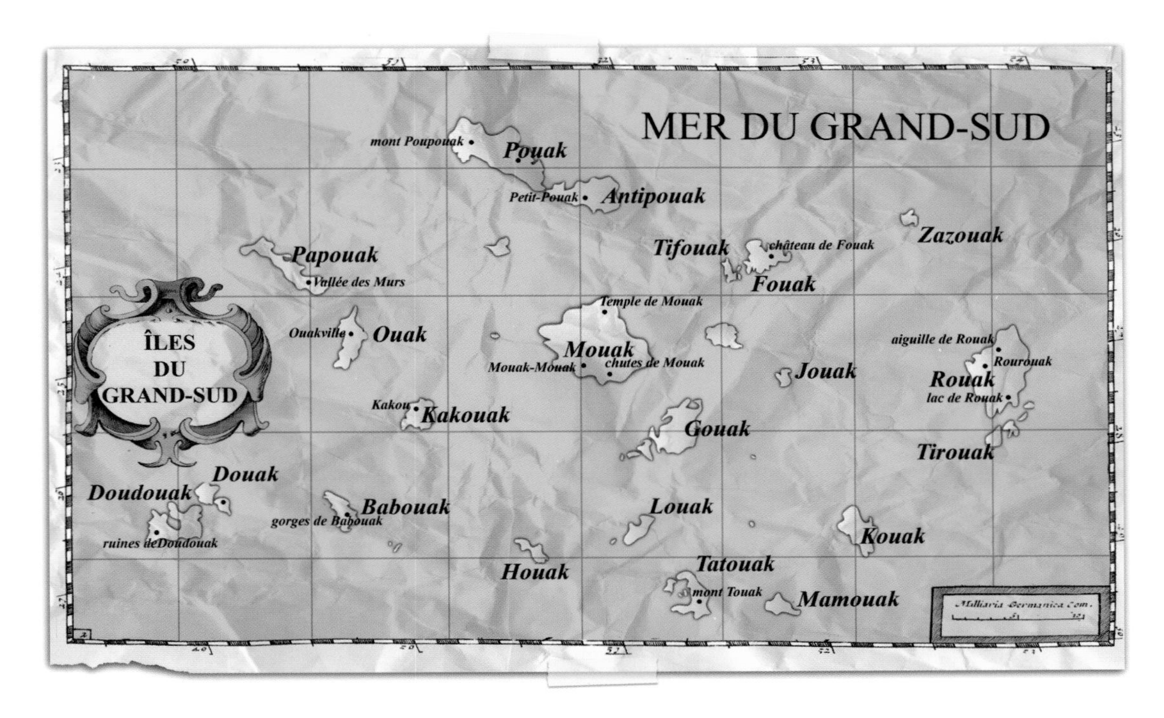

Je recopie vite ce qu'elle écrit:

Salut, Mémère! Ça y est, je fais mes bagages! Je rentre en bateau, c'est un ami de Gérard qui va me ramener. Le voyage va durer un mois, d'ici à chez toi! Je te rapporte plein de cadeaux. J'en ai aussi pour tes petits-enfants, tu vois comme je suis devenue gentille. J'ai hâte de te revoir. J'espère que tu vas me reconnaître, j'ai beaucoup changé! J'ai hâte de revoir les autres aussi. Je veux te dire une chose très importante: je n'ai plus du tout envie de faire peur aux gens. C'est fini, f-i-fi, n-i-ni! Tes petits-enfants pourront dormir en paix et toi aussi. Gérard va s'ennuyer de moi, c'est épouvantable. Et je sais qu'il va beaucoup me manquer. Mais si tu veux bien qu'il vienne passer la moitié de l'année chez toi, tout va bien aller. Je me souhaite bon voyage!

Madame Gérande

P.-S. Si je suis devenue si gentille, c'est à cause de Gérard. Quand j'ai essayé de lui faire peur, les premières fois, il m'a dit: « Si tu fais encore ça, je ne te parle plus. » Et voilà, j'ai tout cessé! Qu'est-ce que je n'aurais pas fait pour l'amour de Gérard!

Chère grosse bouboule, je l'aime bien, au fond! J'espère qu'elle aura changé de rire autant que de caractère…

24 février

Cette nuit, il a fait terriblement froid et à mon réveil, en ouvrant les rideaux, j'ai aperçu l'oiseau rose complètement gelé, pris en glace sur le rebord de la fenêtre. Il m'a fallu le faire entrer pour dégeler son bec et réussir à prendre la lettre de Milon. Sans me demander la permission, l'oiseau a sauté sur mon lit, s'est glissé sous les couvertures et s'est endormi aussitôt. Maintenant, il ronfle. Voici ce qu'écrit Milon :

Je suis plutôt sage, mais pas tout à fait. Je fais de tout petits, vraiment tout petits mauvais coups, et mon ami le chat me dit que c'est normal. Il m'a expliqué que personne n'est parfait. Je n'avais jamais pensé à ça. Avant, j'étais le contraire de parfait. Maintenant, je suis un peu parfait et un peu joueur de tours. Je trouve que c'est bien. Sinon, je ne me reconnaîtrais plus.

J'ai bien hâte que l'oiseau rose se réveille. Il ne peut pas passer la journée dans mon lit. Je reprends un peu plus tard. L'oiseau s'est réveillé, il est allé vers la fenêtre comme si je n'existais pas, il a tapé du bec jusqu'à ce que je lui ouvre et il s'est envolé. On dirait un robot ! Et si c'en était un ?

Et nous voici au mois du retour. Je les attends le 10 pour mon anniversaire. Fêter mes 50 ans avec cinq monstres, la belle affaire ! Je vois déjà la fête ! Spécial, est-ce le bon mot ? Je pense que ce sera plus que spécial.

Nuche a écrit qu'il allait désormais chanter, la nuit, à vos oreilles, mes petits, toutes les chansons qu'il a apprises avec son groupe de musiciens. Des nuits entières à vous faire bercer par des chansons en sghilinghilish, ce sera merveilleux.

Les musiciens sont très tristes de le voir partir. Nuche me dit qu'il les a invités à venir le voir ici, chez moi, et qu'il sait bien que je leur ferai une place dans ma grande maison.

L'oiseau rose a laissé un mot dans la neige devant ma porte. Il n'a pas frappé, ou alors il l'a fait et je deviens sourde. Milon écrit qu'il est temps pour lui de rentrer, qu'il voulait ramener son ami le gros chat, mais que celui-ci ne peut pas prendre l'avion, car il est allergique aux objets volants. Il semble qu'il viendra à pied.

Si tout le monde rapplique, les musiciens de Nuche, le chat de Milon et le Gérard de Gérande, la maison sera bien pleine.

9 mars

Une dernière lettre de Plonchette m'arrive ce matin. Elle sera ici le 10, c'est juré. Elle est très triste de quitter Tzibzone. Parzog va la conduire en pirogue à l'aéroport. Ils vont traverser tout le Ratapan, passer par des villes merveilleuses où roulent des trains magnétiques, d'autres où les gratte-ciel disparaissent dans les nuages. Plonchette qui ne connaît rien d'autre que sa montagne, elle en verra, du pays, avec son chef de tribu !

Tzibzone City

L'oiseau rose est encore venu, mais cette fois il a frappé à la porte. Milon me dit qu'il réserve quelques petits mauvais coups aux autres monstres, mais à aucun enfant connu ou inconnu.

Puis une lettre de Goulpi II qui est retourné en vitesse à Dijimako et qui a réussi (il ne dit pas comment) à se procurer une bouteille du produit antipeur. Il a dû la voler, j'en mettrais ma main au feu. Cela m'effraie et me rassure en même temps car, avec son antipeur, nous serons tous protégés si jamais Goulpi II, Plonchette, madame Gérande, Milon ou Nuche nous faisaient une rechute. On ne peut pas vraiment savoir avec les monstres, surtout quand ils disent qu'ils sont vraiment devenus très gentils !

S'appelle-t-il Boulpi II
car il aime prendre
deux verres du même
coup?

Et voilà, j'ai eu 50 ans hier... et ils étaient tous là !

LUNDI
3
MAI

arrivée de Gérard

arrivée prévue
du chat de Milou

LUNDI
19
JUILLET

Fin